À tous les membres de la famille

L'apprentissage de la lecture est l'une des réalisations les plus importantes de la petite enfance. La collection *Je peux lire!* est conçue pour aider les enfants à devenir des lecteurs experts qui aiment lire. Les jeunes lecteurs apprennent à lire en se souvenant de mots utilisés fréquemment comme « le », « est » et « et », en utilisant les techniques phoniques pour décoder de nouveaux mots et en interprétant les indices des illustrations et du texte. Ces livres offrent des histoires que les enfants aiment et la structure dont ils ont besoin pour lire couramment et sans aide. Voici des suggestions pour aider votre enfant :

- Demandez à votre enfant de penser à un mot qu'il ne reconnaît pas tout de suite. Donnez-lui des indices comme : « On va voir si on connaît les sons » et « Est-ce qu'on a déjà lu un mot comme celui-là? ».
- Encouragez l'enfant à utiliser ses compétences phoniques pour prononcer d'autres mots.
- Lorsque l'enfant a besoin d'aide, lisez-lui le mot qui pose un problème, pour qu'il n'ait pas trop de mal à lire et que l'expérience de la lecture avec les parents soit positive.
- Encouragez votre enfant à lire avec expression... comme un comédien!

J'espère que vous et votre enfant allez aimer ce livre.

Francie Alexander,
spécialiste en lecture
Groupe des publications
éducatives de Scholastic

Pages d'activités

Vous trouverez à la fin du livre des activités amusantes conçues pour donner à l'enfant d'autres occasions de mettre en pratique ses compétences en lecture et en compréhension. Au besoin, aidez votre enfant à comprendre les consignes et à S'AMUSER à chaque activité.

Cartes-jeux

Au milieu du livre, vous trouverez huit paires de cartes-jeux. Elles sont conçues pour aider votre enfant à se familiariser avec les mots du livre tout en s'amusant.

- À partir des cartes de mots, demandez à votre enfant de retrouver ces mots dans le texte. Demandez-lui ensuite de jumeler les images des cartes avec les mots du texte.
- Le jeu des paires : placez les cartes à l'endroit. Demandez à votre enfant d'associer les mots aux images. Lorsque l'enfant maîtrise bien ce jeu d'associations, placez les cartes à l'envers. Demandez à l'enfant de retourner une carte puis une deuxième, et de regarder si les deux correspondent. Si c'est le cas, l'enfant peut conserver les cartes. Sinon, replacez les cartes à l'envers. Continuez jusqu'à ce que votre enfant réussisse toutes les associations.

*Pour Brian, le spécialiste des tartes
à la citrouille*
—J.E.G.

*Pour mon grand-père (Pap) qui m'a fait
connaître les joies du jardinage*
—T.S-L.

Données de catalogage avant publication
de la Bibliothèque nationale du Canada

Gerver, Jane E.
Plantons une tarte à la citrouille!

(Je peux lire!. Mon premier)
Traduction de : Grow a pumpkin pie.
Pour enfants de 3 à 6 ans.
ISBN-13 978-0-439-98678-6
ISBN-10 0-439-98678-8

1. Citrouille--Ouvrages pour la jeunesse. 2. Cuisine
(Citrouille)--Ouvrages pour la jeunesse. I. Duchesne,
Christiane, 1949- II. Lyon, Tammie III. Titre. IV. Collection.

SB347.G4714 2001   j635'.62   C2001-901132-6

Édition publiée par les Éditions Scholastic,
604, rue King Ouest, Toronto (Ontario) M5V 1E1.

6 5 4 3 2   Imprimé au Canada   07 08 09 10 11

Plantons une tarte à la citrouille!

Jane E. Gerver
Illustrations de Tammie Speer-Lyon
Texte français de Lucie Duchesne

Mon premier Je peux lire!
Avec des cartes-jeux

Éditions
SCHOLASTIC

Creuse un trou.
Plante une graine.

Arrose bien
partout.
Enlève les mauvaises herbes.

Voilà la pluie!
Réjouis-toi et fais
de petits sauts.

Une pousse sort
sans bruit.
Puis un bouton
éclot.

Regarde! Une longue tige
verte a poussé.

Les petites citrouilles
poussent en rangées.

L'air refroidit.
Les feuilles tombent
une à une :
orange, jaune,
rouge et brune.

Les citrouilles
deviennent mûres.

Cueilles-en
une bien grosse
et bien ronde.

Fais ensuite
une ouverture
pour y
prendre
la bonne
chair.

Ajoute des œufs et
de la crème.
Brasse avec une cuillère.

Puis incorpore le sucre
au mélange.

des graines

une citrouille

une cuillère

une fourchette

des feuilles

la pluie

des œufs

une tarte

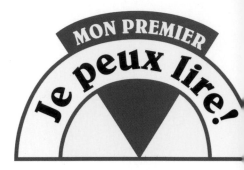

Vite, vite!
Il est presque midi!

Ajoute les épices. Fais vite!
Encore un peu
d'épices.
Le mélange
a épaissi.

Verse le mélange
dans un fond de tarte
croustillant.
Fais cuire ta tarte au four.
Que c'est appétissant!

Elle doit refroidir.
Laisse-la
reposer.

Avec une fourchette,
prends une petite
bouchée.

N'oublie pas
de conserver
une graine
pour la planter
l'année prochaine.

Qu'est-ce qui se passe...

Qu'est-ce qui se passe en premier?
Qu'est-ce qui se passe en deuxième?
Qu'est-ce qui se passe en troisième?
Qu'est-ce qui se passe en dernier?

Associe les citrouilles

Quelles citrouilles sont petites?
Lesquelles sont longues?
Lesquelles sont rondes?
Lesquelles sont bosselées?

Le labyrinthe des citrouilles

Trouve ton chemin dans le labyrinthe. Commence à
l'entrée du potager et rends-toi jusqu'aux citrouilles.
Ne traverse surtout pas les lignes!

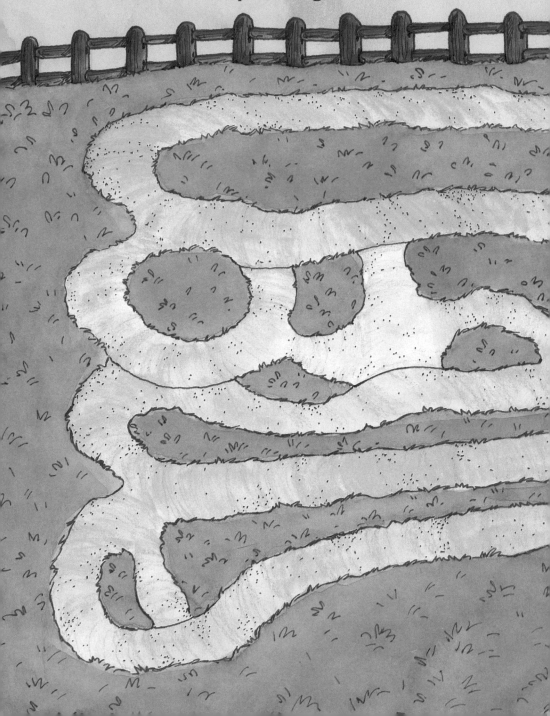

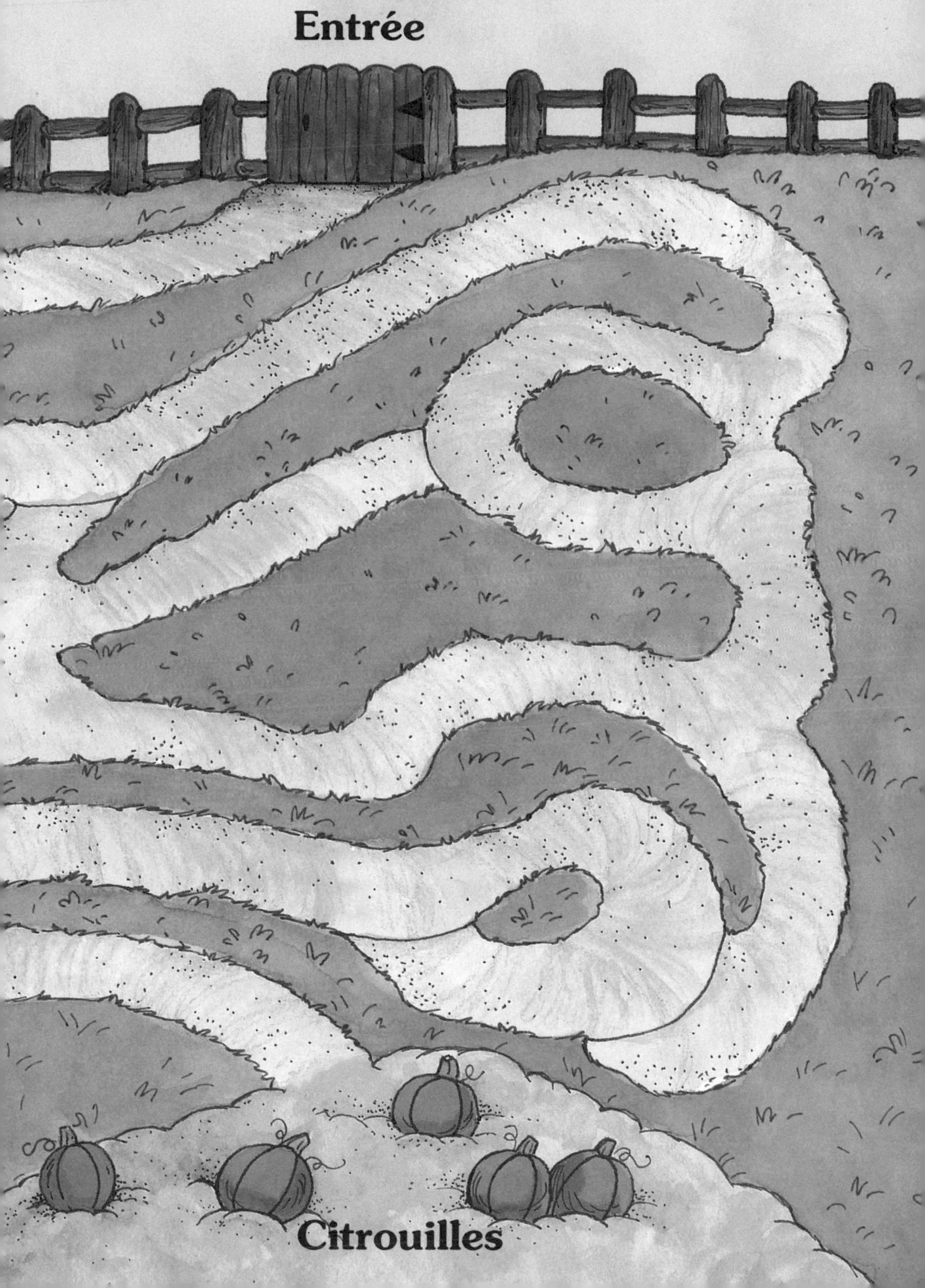
Entrée
Citrouilles

Les rimes

Associe le mot au dessin, pour former une rime.

bouton

pige

mère

semaine

La citrouille maquillée

Avec un crayon de cire ou un crayon à mine,
dessine un visage sur cette citrouille. Est-ce que
ta citrouille est joyeuse ou triste? Est-ce que ta
citrouille est éveillée ou endormie?

RÉPONSES

Qu'est-ce qui se passe...

en premier   en deuxième   en troisième   en dernier

Le labyrinthe des citrouilles

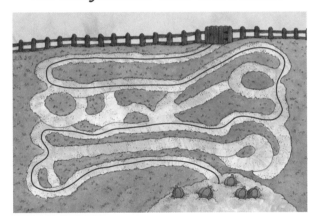

Associe les citrouilles

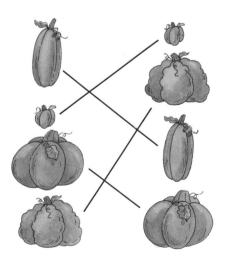

Les rimes

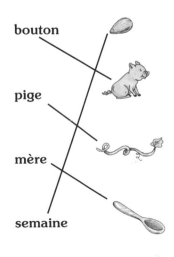

bouton

pige

mère

semaine